Rhodri Rabk
Rhodri'r Gwningen

Written by / Ysgrifennwyd gan
Anna Hurcom
Sam Hurcom
Jamie Lowes

Translated by / Cyfieithwyd gan
Elizabeth Thomas

Illustrated by / Darluniau gan
Sam Hurcom

O diroedd gwyrdd Cymru
Mae chwedlau'n byrlymu
Am ffrindiau o'r cymoedd a'r bryniau...

From a green land called Wales,
Come lots of tall tales
About friends in valleys and hills...

Un lletchwith oedd Rhodri,
Byddai bob tro yn baglu
Ac yn glanio mewn twll yn y pridd.

Rhodri the rabbit
Had a bad habit
Of always falling down holes.

Byddai'n crwydro drwy'r caeau
Gan drio ei orau
I osgoi'r gwahaddod bach.

He'd wander around,
Looking down at the ground,
Trying hard not to bother the moles.

Un bore, gyda'r wawr,
A'i ffrindiau mewn trwmgwsg mawr,
Aeth Rhodri ar wib i'r coed.

whoosh!

Early one morning,
While his friends were still yawning,
He sped off into the wood.

Gan neidio a sgipio
A hopian heb stopio,
Fe fownsiodd yn gynt ac yn gynt!

Skipping and hopping,
Jumping – not stopping!
He bounced off as fast as he could.

Ond baglodd Rhodri i'r llawr
A glanio mewn ffos fawr,
Gyda dim ond ei draed yn y golwg.

He stumbled, he tripped,
Ended up in a ditch,
With his feet sticking up in the air.

"O na!" dywedodd Rhodri,
"Mi syrthiais wrth faglu.
Dwi wir yn gwningen esgeulus!"

"Oh no" he mumbled,
"I tumbled," he grumbled,
"I wish I had taken more care."

A'i ben yn y baw
Ceisiodd alw am help llaw,
Ond doedd neb o gwmpas i'w glywed.

He tried to cry out,
But there was no-one about,
And his head was stuck deep in the dirt.

"All rhywun fy helpu?
Mae yna bridd yn fy nhrwyn i
Ac mae fy nghlustiau i'n dechrau brifo!"

He tried to get free.
"Can someone help me?
My ears are starting to hurt!"

Cerddodd llygoden heibio
Yn hanner breuddwydio
Am bryd bach o gracers a chaws.

A mouse walked by,
Looking up at the sky,
Dreaming of crackers and cheese.

Gwelodd gynffon wen
A chlywodd, "Mae hi ar ben!
Plis, a all rhywun fy helpu?"

He caught sight of a tail,
And heard someone wail,
"Oh help me! Oh please! Oh please!"

"Does dim angen poeni,"
Meddai hi, gan bendroni.
"Rwy'n siŵr y gallaf dy achub."

"Don't worry," Mouse said
As he scratched his head,
"I'm sure I can rescue you."

Gwthiodd, pwffiodd,
Tynnodd, hwffiodd,
Ond roedd Rhodri'n sownd fel glud.

_pfff...

He pushed and he puffed,
He pulled and he huffed,
But Rhodri was stuck like glue.

"Hmmm," meddai hi,
"Un bach ydw i
Ac rwyt ti mewn ychydig o bicl."

"Hmmm" Mouse thought,
"I'm a little too short,
And you're stuck in a bit of a pickle."

Ond daeth syniad i'w phen.
"Dyw pob dim ddim ar ben.
Dwi'n mynd i drio dy gosi!"

Then he had an idea,
And it all became clear,
"I guess I'll just have to tickle."

Bu'r crafangau bach yn crafu
Pawennau enfawr Rhodri.
"Fe ddylai hyn weithio, yn wir."

With his tiny mouse claws,
He scratched Rhodri's big paws,
"This should do it with any luck."

Fe chwarddodd a chwarddodd,
Fe siglodd a siglodd!
Yna – POP – daeth allan o'r ffos.

pop!

Rhodri laughed and he giggled,
He wriggled and wiggled,
Popping out from where he was stuck.

Mewn sioc, ac yn ddryslyd,
Yn simsan a chysglyd,
Diolchodd Rhodri i'w ffrind.

Dazed and confused,
And a little bemused,
Rhodri thanked his new small friend.

"Â chroeso, Rhodri!
Mi ddefnyddiais fy mhen i,
Sydd bob tro yn syniad rhagorol."

"No problem" Mouse said,
"I just used my head,
Which is always best in the end."

This third edition published 2018

ISBN: 978-0-9957361-1-5

Printed and bound by www.theedgesystems.co.uk

More titles from Clumsy Rabbit Books!
Teitlau eraill gan Clumsy Rabbit!

Ffrindiau yng Nghymru
Friends in Wales
Freya Fox / Freya'r Cadno
Dilys Duck / Dilys yr Hwyaden

E-mail / E-bost:
clumsyrabbitbooks@hotmail.com